고독의 주인

영혼이 깃털처럼 가벼운 날

고독의 주인

발 행 | 2024년 02월 08일
저 자 | 손성권
펴낸이 | 한건희
펴낸곳 | 주식회사 부크크
출판사등록 | 2014.07.15(제2014-16호)
주 소 | 서울특별시 금천구 가산디지털1로 119 SK트윈타워 A동 305호
전 화 | 1670-8316
이메일 | info@bookk.co.kr

ISBN | 979-11-410-7101-1

고독의 주인

손성권 지음

차 례

글을 열며

서른 이전에는 누구나 시인이라는 말도 있지만, 글을 쓰던 내가 있었다는 것은 참 신기하고 행복한 일이었습니다. 설교를 듣다가, 찬양을 부르다가, 여행을 하다가 문득 떠오르는 생각들을 메모하고 하나 둘 정리하기 시작했습니다.

체계적인 글쓰기 훈련을 받지 못했는데도, 여전히 글을 쓰고 있는 내가 있다는 것은 기적처럼 행복한 일입니다. 글을 쓴다는 것은 고민하고 있다는 것이고, 고민하고 있다는 것은 내가 존재한다는 것이기 때문입니다.

이제 책으로 엮어 봅니다. 무엇이 되어서도 아니고, 무엇을 이루어서도 아닙니다. 살면서 한 번쯤 매듭을 짓고 싶어서 입니다. 이 책이 고민하며 살아가는 그 누군가에게 공감과 위로가 될 수 있다면 더욱 행복할 것입니다.

언제나 사랑하는 나의 가족에게 이 책을 바칩니다.

"진리를 알지니 진리가

너희를 자유롭게 하리라."

제1부 방황하는 젊음

진리 (眞理)

우리는
당신을 기다립니다

여러 날
괴로운 울부짖음에
응답지 아니하셨음이여

깊은 밤
심중(心中)에 외로이
당신은 오시렵니까?

우리는
당신을 기다립니다

자 (自)

신(神)이 있더나
어디 메
뭐 하고

지금
네 앞에
널 사랑하고

갈멜산

바알이여 바알이여
외침이 그들에겐 헛되었다

왼 종일 뛰어 놀며
자기를 난도질 함도
저희 신에게는 부족했나 보다

열 두 돌
각 뜬 제물을 열납하신
야훼의 불

바알이여 오라
성산(聖山) 갈멜로

여기서 너를 사르리니
야훼의 불

훈련병의 기도

[1]
이 외로운 땅에서
울지 않게 하십시오
당신의 뜨거운 숨결을
느끼게 하시고
내 작은 행동들이
당신의 빛이 되게 하소서
내 사랑 기도의 마음들이
울지 않게 하십시오

[2]

내가

그리스도의 좋은 군사로

선한 싸움을 싸우리니

기쁨이 슬픔 되고

눈물로 노래 지어

곤고한 생애를 살지라도

빛으로 진리를 쫓아

나의 길을 가리다

원컨대

첫 날의 이 마음이 끝날까지

당신 앞에 변함없기를

그는

작달막한 체구로
처음 내 앞에 섰을 때
그는 전도사였다.
말을 썩 잘하진 못했고
내겐 별로 호감을 주지 않았다.

그의 생활은 검소했다.
그리 화려하진 않아도
제법 멋을 아는 사람이었다.
남에게 대접 받기 보다는
남을 대접 하기를 좋아했다.

얼마의 시간이 지나고
얼마의 청년들이
그의 매력 속으로 빠져 들었다.
그럴 즈음에
그는 강도사가 되었다.

강도사가 되어서도 그의 설교는
그리 화려하진 않았다.
짧막하나 진실들로 가득 차
청년들에겐 새로운
삶의 고민을 제시하곤 했다.

그는 쉽게 감동을 했다.
그의 삶의 많은 부분은
감탄사들로 가득 차 있었다.
작은 것의 진실을
아는 사람이었다.

그는 말을 많이 하지 않았다.
그는 말을 잘하지 못했다.
그의 말은 행동으로 나타났고
그의 행동은 곧 무언의 설교였다.
늘 뜨거운 가슴으로 살았다.

그는 나의 선생이다.
내가 무엇을 베풀 수 있는 건
그것을 내게 가르쳤기 때문이다.
이제
그는 목사가 되었다.

나는 그를 사랑한다.
그의 짤막한 얘기들과
어색하지 않은 삶의 감탄사들을…
그는 내가 알고 있는
진실을 사는 사람 중에 하나이다.

부활송

서른 세 해 기인 고독으로
하늘의
무거운 침묵을 깬

그대
빛으로 오니
어둠이 감당치 못하고
진리로 오니
몽매자의 멸시 뿐

허나
해마다 봄이면
핏빛 사랑으로 오는

그대
생명의 빛

대강절을 맞으며

주님이 오시었다
이천 년 전 팔레스타인
불모의 사막에
누구 하나 반기는 이 없어
하늘의 존귀가
비천한 몸으로
짐승들과 함께 누우셨다

수많은 세월 동안
수많은 민족들에게
끊임없이 찾아 온 당신
이 해도 변함없건만

우리네 거리는
오색의 네온사인
원색의 육욕들로 흥청이고
우리네 마음은
온갖 선물들로 채워지고
의미 없는 츄리들만 반짝일 뿐

정작 주인이신 당신의
거리엔 찬바람만 불고
방은 없네
방은 없네

멋있는 일

누군가에게
해를 당했다고 느꼈을 때
입장을 바꾸어도
화를 내는 것이
당연하다고 생각될 때
한번 더 참을 수 있다면
멋있는 일 아닌가

누군가가
십자가를 져야 할 때
여러 형태로
돌아 가는 길이
주어져 있을 때에도
피하지 않고 묵묵히 가는 일
또한 멋있는 일 아닌가

예수의 마음

이런 마음을 품게 하소서

당연히 누릴 것을
누리지 않고
떠나 비천한 자리에 임한
겸손한 마음이니

압제자에게 평화를
눌린자에게 자유를
가진자에게 나눔을
주린자에게 채움을

외면당하나 외면하지 않는
버림받아도 버릴 줄 모르는
언제까지나 그대로인
사랑의 마음이니

곧 예수의 마음

법과 은혜

악이
죄 아닌 모습으로
활보하던 거리에
법이 찾아와
사람들에게
거치는 돌이 되다

부패한 본성
혼탁한 이성
떠나려는
스스로의 모든 행위는
법 아래 묶인 사슬
풀지 못하다

도움이 없어
아직 연약하고
여전히 죄인이던 때
갈보리 십자가
음부에 치른 몸값으로
구원 이루다

빛을 향한
소망 끊어진 채
어둠에서 울고 있었다
그 은혜가
믿음 안에서
산 소망으로 오기까지

평화하자
미리 오신 사랑
죄에서 자유한
새로운 생명으로
사랑이신 하나님과
평화 이루자

WHITE CHRISTMAS

쓸쓸한 크리스마스
사람들은
예수가 오는 것 보다
눈이 오기를
더 기다리는 것 같다

화이트 크리스마스
모두들
기다린 것처럼
눈이 내리면
사람들은 무엇을 할까

제2부 광야를 지나며

주님 부를 때

주님하고 부를 때
입술 뿐 아니라
마음까지
떨리게 하소서

주님께서 부를 때
껍데기 뿐 아니라
속 사람도
대답하게 하소서

주님 따라 행할 때
일부분이 아니라
전 존재로서
따르게 하소서

믿음은

하나님을
하나님의 자리로부터
끌어 내리지 않는 것

사람을
사람의 자리로부터
들어 올리지 않는 것

나단을 보내 주소서!

나단을 내게 보내 주십시오.

아첨꾼들의 가벼운 목소리에
내 귀와 육체가 마냥 즐거워할 때

이웃의 아픔을 볼모로 한
비겁한 승리에 환호성을 외칠 때

가슴 깊이 숨긴 죄악들로
당신과의 틈새가 골짜기로 변해갈 때

주님!
깨끗한 입술로 진리를 말하는
나단을 내게 보내 주십시오.

기도폭풍 오실 땐

기도 폭풍 오실 땐
얼굴에 화장을 하지 마세요.
주체할 수 없는 눈물로
어차피 다 지워질 테니까요.

기도 폭풍 오실 땐
휴지나 손수건을 준비 하세요.
닫혀졌던 눈물샘이
폭포 같이 회복될 테니까요.

기도 폭풍 오실 땐
깨끗한 마음을 준비 하세요.
사람들은 볼 수 없는
그곳을 주님은 보실 테니까요.

흙이니, 소경이니

나는 흙이니...
그 무엇을 빚을 수 있는 존재 아니라
그 무엇으로 빚어져야 할 흙이니...

나는 소경이니...
그 누구를 인도할 수 있는 존재 아니라
그 누군가의 인도를 받아야 할 소경이니...

당신의 능력의 손으로
나를 빚으시고
나를 인도하소서.

아침 기도

감사로 하루를 엽니다.
가장 적합한 시간에
가장 좋은 것으로 채우실
당신을 소망하며...

만남을 주십시오!
부족함을 서로 채워 주고
사랑으로 격려 하며
공동체를 세워 나가는
그런 만남을...

나눔을 주십시오!
이웃의 필요를 알게 될 때
언제라도 외면하지 않고
누구라도 형제가 되는
그런 나눔을...

기적을 주십시오!
노력으로 이룰 수 없고
준비되지 못했을 때라도
능히 성취케 하시는
은혜의 기적을...

감사로 시작하는 하루
부디 잠들 때까지
이 마음으로 살게 하소서!

부활 기도

망치로 손에 못박던 자리
창으로 옆구리 찌르던 자리
조롱하며 손가락질 하던 자리
나는 모르오 하며 외면 하던 자리

예수 십자가에 달릴 때에
그대는 그 어디에 있었는가?

고아와 과부를 돌아보는 자리
약한 자의 억울함을 풀어주는 자리
손해를 보아도 진리를 사수하는 자리
생명 열매 맺으려 기꺼이 고통 받는 자리

부활의 주 다시 오실 때에
그대는 그 어디에 있으려는가?

세상 속의 그리스도인

교회에서뿐 아니라 세상에서도
그리스도인이 되게 하소서.

승진을 위해 경쟁할 때
시장에서 물건 흥정할 때
끝없는 정체 속에 운전할 때
아무도 없는 곳에 혼자 있을 때

언제나 그 어디서나
그리스도의 방법으로 살게 하소서.

사람들을 만날 때

사람들을 만날 때
당신이 그들을 보내신 것을 알게 하소서.

그들은 많은 것을 원하지 않습니다.
밝은 미소, 상냥한 인사, 긍정적인 말들...

당신이 우리에게 주신 것들을
우리도 그들에게 나누어 주게 하소서.

언젠가 그들도 우리처럼
당신께서 주신 것들을 나눌 수 있도록...

삭개오와 예수님

삭개오는 모여 있는 무리들을 보지 않았습니다.
키가 작아 어쩔 수 없는 자신의 한계를 보지 않았습니다.
삭개오는 뽕나무를 보았고, 올라갔습니다.
거기에서 삭개오는 예수님을 보았습니다.

예수님도 몰려든 사람들을 보지 않았습니다.
멍하니 바라보는 그들의 시선을 보지 않았습니다.
예수님은 열정을 가진 한 사람, 삭개오를 보았습니다.
단지 보기만 원하던 그를 만나 주셨습니다.

싸우시는 하나님

하나님께서
우리를 위해 싸우십니다.

마주 진친 적들의 숫자를 보지 말고
달려 오는 적들의 병거를 두려워 말고
지금, 싸움을 시작 합시다.

하나님께서
우리를 위해 싸우십니다.

상황이 다소 불리하게 보이더라도
조건이 아직 갖춰지지 못했더라도
바로, 싸움을 시작 합시다.

우리의 싸움은
육체가 아니라 영혼의 싸움 입니다.

두려움과 염려를 내려 놓을 때
하나님께서
우리를 위해 싸우십니다.

믿음의 야성

당신이 원하시면

내 힘으로 어찌할 수 없고
내 머리로 이해할 수 없어도
내 눈으로 바라볼 수 없고
내 마음으로 상상할 수 없어도

그 일을 향해 뛰어 들게 하소서

오 주님,

어찌할 수 없고 이해할 수도 없는
막막한 상황을 극복케 하고
바라볼 수 없고 상상할 수도 없는
위대한 일들을 성취케 하는

믿음의 야성을 회복시켜 주소서.

Take away the stone

사람들은 언젠가는
기적이 일어나리라 믿는다.

하나님은 바로 지금
그 일 이루기 원하시는데...

사람들은 누군가는
기적을 체험하리라 믿는다.

하나님은 당신 속에
그 일 이루기 원하시는데...

Take away the stone.
돌을 옮겨 놓으라.

믿음으로 행하는 자
하나님의 크신 영광 보리라.

두 가지 길

세상에는
두 가지 길이 있습니다.
의인의 길과 악인의 길

착하고 겸손하게
의인의 길을 갈 때에
모든 일에 순조롭게 된다면
누구나 그 길 따르겠지만...

악하고 교만하게
악인의 길을 갈 때엔
모든 일에 어려움을 당하면
누구나 그 길 떠나겠지만...

악이 선을 이기고
교만이 겸손을 이기는
가슴 답답한 현실 속에선
언제나 힘든 선택 입니다.

하지만 기억하세요.

악인의 형통 잠시 뿐임을...

고통의 세월 지나간 후

해같이 빛날 의인의 길을....

주님 말씀

주님 말씀 하셨네
그들을 사랑 하여라
자신 있게 대답 하였네
그들을 사랑하고 있노라고..

겸손한, 부유한, 착실한
양지의 사람들

다시 말씀 하셨네
저들도 사랑 하여라
우물쭈물 대답 하였네
저들은 사랑할 수 없노라고..

건방진, 가난한, 외로운
음지의 사람들

주님 말씀 하시네
그렇다면 너의 사랑
바리새인 보다
나은 것 무엇이냐고

저들보다 비천한 네게
나는 사랑 주었거늘...

사랑 316

이처럼 사랑하셨다
하나님이 이 세상을...

아들을 주시었다
당신의 사랑 때문에...

멸망을 거두셨다
우리를 사랑 하셔서...

영생을 주시었다
사랑 그 사랑 때문에...

억수로 사랑하신다
하나님이 이 세상을...

주님의 길

기억 하십시오.

영광의 주님 이전에
피 흘려 기도하신 주님을

바라 보십시오.

부활의 주님 이전에
죽음의 십자가 지신 주님을

따라 가십시오.

겟세마네 그 기도의 길
골고다 그 십자가의 길

기도와 용서

친구와 다투었습니다.
마음이 너무 괴로워
기도하니 기뻐졌습니다.

당신 맘도 기쁘시지요?
아니, 가서 사과하여라.

이웃을 속였습니다.
마음이 너무 무거워
기도하니 가벼워졌습니다.

당신 맘도 가벼우시죠?
아니, 가서 돌려주어라.

옳은 일

스스로
아무런 거리낌 없고

상당수
사람들 지지 하여도

주님의
칭찬 없는 일이라면

고요히
한번 더 생각해 보렴

감사

감사는
하늘 보고(寶庫)를 여는 열쇠

이미 받은 것에
감사를 더하면
더욱 많은 복 내려 주신다

감사는
하늘 보고(寶庫)를 여는 확증

아직 받지 못해도
믿고 감사하면
가장 좋은 때 채워 주신다

제3부 잠시, 안식하며

예레미야의 눈물

일상의 눈물은
평범한 한 방울 물이지만

진실한 눈물은
사람의 마음을 움직이고

회개의 눈물은
하나님 생각을 돌이킨다

오늘 내 삶에도
선지자의 그런 눈물 있기를...

첫 사람 아담처럼

첫 사람
아담을 빚으셨던 것처럼

오늘은
우리를 다시 빚어 주소서

당신을
만나고 오랜 시간 흘러도

여전히
옛사람으로 머물러 있는

우리의
성품을 다시 빚어 주소서

우리의
습관을 다시 빚어 주소서

우리의

말과 생각과 행동들도...

첫 사람

아담이 기쁨을 드림 같이

오늘은

우리가 기쁨이 되게 하소서

베드로의 고백

성전 미문 앞
처음 그를 보았네
불쌍한 육체의 그를...

금화나 은화
무엇도 내게 없어서
쓸쓸히 지나쳤었네

오순절 지나고
다시 그를 보았네
불쌍한 영혼의 그를...

금화나 은화
여전히 내게 없었지만
새 능력 나눠주었네

"나사렛 예수"
그가 원하지도 않았고
기대하지도 않았지만

새 삶이 시작되었네
걷고, 뛰며, 찬양하는
자유의 새로운 삶이...

바울은

바울은
십자가만 알기 원했는데
예수로만 만족 했었는데

우리가
오늘 알고자 하는 것은
지금 만족해 하는 것은

주일(主日)

오늘 드리는 예배는
성전 마당만 밟는 것 아니라
당신께서 영광 받으시는
예배 되게 하소서

오늘 드리는 찬양은
우양(牛羊)의 시끄러운 소음 아니라
당신께서 기뻐 들으시는
찬양 되게 하소서

하여 새로운 한 주는
사랑과 섬김의 낮은 곳에서
당신께서 인정 하시는
삶을 살게 하소서

우리의 예배는

우리의 예배는
설교자도 아니고
대표 기도자도 아니고
찬양대와 특송자도 아닌
주님만 주목 받게 하소서

우리의 예배는
가슴이 뛰는 것 아니고
마음이 후련해지는 것 아니고
내 신념이 굳어지는 것 아니라
주님 뜻 깨닫는 것 되게 하소서

예배를 통해
나의 생각은 깨어지고
마음은 불편해지더라도
당신께서 기뻐하시는 삶을
다시금 시작하게 하소서

유구무언 (有口無言)

나의 친구는
세리들과 가난한 자들이었는데
너의 친구는 어디 있느냐

나의 관심은
죄인들과 실패한 자들이었는데
너의 관심은 어디 있느냐

주님 물으실 때
아무런 대답도 하지 못하다

그럴 수 있을까

[1]
여유 없어 누리지 못한 것
여유 생긴 후에도 참을 수 있을까

지위 낮아 누리지 못한 것
지위 오른 후에도 참을 수 있을까

건강 없어 누리지 못한 것
건강 찾은 후에도 참을 수 있을까

[2]
부유 하던 때 감사 하던 것
가난해진 후에도 그럴 수 있을까

높은 자리에서 감사 하던 것
낮은 자리에서도 그럴 수 있을까

건강 하던 때 감사 하던 것
건강 잃은 후에도 그럴 수 있을까

[3]
비난의 자리, 내가 앉으면
그 비난 그치게 할 수 있을까

감사의 자리, 내가 앉으면
더 감사 넘치게 할 수 있을까

상황은 변해도, 한결같이
겸손과 감사로 살 수 있을까

알게 하소서

사람이 떠나는 것은
가까웠던 사람이 떠나는 것은
당신께 더 가까이 오라는 것임을...

환경이 바뀌는 것은
익숙했던 환경이 바뀌는 것은
당신께 더 신뢰를 두라는 것임을...

문들이 닫히는 것은
열려있던 문들이 닫히는 것은
당신께 더 마음 문 열라는 것임을...

당신의 뜻대로

우리의 지경이 넓어질 때
당신의 지경도 넓어졌나요

우리의 창고가 채워질 때
당신의 창고도 채워졌나요

굶주린 아이 먹이지 않고
지경만 넓혀 달라던 우리

버려진 이웃 돌보지 않고
창고만 채워 달라던 우리

이제는 시간, 보화, 생명
당신의 뜻대로 드려지기를

우리의 마음이 기뻐질 때
당신의 마음도 기뻐지기를

하루를 살면서

하루를 살면서
한번도 양보하지 않았다면

하루를 살면서
아무도 이해하지 않았다면

하루를 살면서
조금도 손해보지 않았다면

"사랑합니다" 말한
나의 고백은 거짓이다

광야의 소리

나는 소리입니다
광야에서 외치는 소리

나는 주목 받지 않고
당신을 소개하는 목소리

나를 나타내지 않고
당신만 드러내는 목소리

광야에 나를 숨기고
당신의 오심만을 알리는

나는 소리입니다
빈들에서 외치는 소리

진리, 자유 그리고 사랑

오늘 하루의 삶 속에서

내가 들은 진리를 말할 것이다

내가 느낀 자유를 전할 것이다

내가 받은 사랑을 나눌 것이다

나는 종입니다

나는 종입니다
돈과 명예를 섬기는
불쌍한 종이 아니라
주님의 말씀 순종하는
영광스러운 종입니다

나는 군사입니다
세상 염려와 싸우는
무익한 군사 아니라
주님의 명령 수행하는
충성스러운 군사입니다

성경을 읽을 때

말씀을 읽을 때
화려한 문장이 아니라
멋있는 표현이 아니라
지금도 말씀하시는
당신을 청종케 하소서

말씀을 읽을 때
세상의 지식이 아니라
인간의 지혜가 아니라
성령의 도우심으로
당신을 깨닫게 하소서

말씀을 읽을 때
역사적 인물이 아니라
시대적 사건이 아니라
오늘도 역사하시는
당신을 만나게 하소서

나의 기도

[1]
기도의 시작은
탄식을 쏟아낼지라도
기도의 마지막엔
주님 음성 들으리라.

[2]
억울한 일들과
힘겨운 관계들에
마음 빼앗기지 않고
주님께 집중 하리라.

[3]
내 뜻이 상식적이고
더 합리적으로 보여도,
주님은 선하심을 믿으며
조용히 순종 하리라.

제물은

제물은
네가 아니라 주님께서
원하시는 것 드리는 것이다.

주님은 교만을 원하신다.
너의 교만을 제단에 내려 놓고
세상에서 겸손하게 살기를...

주님은 거짓을 원하신다.
너의 거짓을 예배에 내려 놓고
이웃에게 정직하게 행하길...

주님은 탐욕을 원하신다.
너의 탐욕을 기도에 내려 놓고
사랑으로 나눠주며 살기를...

예물은 네가 아니라
주님께서 정하시는 것이니

헌금 몇 푼으로 생색내고
너희 멋대로 사는 것 아니라
말씀대로 순종하며 살기를...

은혜의 정원

때로 우리들의 기쁨은
어떤 사람들의
아픔을 통해서 온다.

때로 우리들의 행복은
어떤 사람들의
희생을 근거로 한다.

풍요와 안전을 버리고
빈곤과 위험을 감수하며

무지의 땅에 지식을
질병의 땅에 치유를
죽음의 땅에 생명을
값없이 주었던 사람들...

세상은

이해하지 못하고

기억하지 못하지만

영원히

별이 되어 빛남을

우리는 기억합니다.

* 은혜의 정원은 대구시 청라언덕에 조성된 외국인 선교사들의 묘지이다.

곤란한 말씀

때로
설교자가 피하고 싶은
말씀이 있다.
세상이 좋아하지 않는...

하지만 전해야 한다.
입 있는 자, 말해야 한다.

때론
성도들도 피하고 싶은
말씀이 있다.
쉽사리 따를 수 없는...

그러나 따라야 한다.
귀 있는 자, 들어야 한다.

선택할 수 있다면

그것은 진리가 아니다.

말씀은

순종만을 요구로 한다.

이런 사람 없을까요

정직하게 말하는 사람
윗사람이 싫어하더라도

말 한대로 행동하는 사람
자신이 좀 손해 보더라도

친절하게 대하는 사람
자신보다 약자라 하더라도

약속한 것을 지키는 사람
상황이 바뀌었다 하더라도

예/아니오 분명한 사람
인기가 다소 떨어지더라도

누구보다 믿음의 사람
모두 불가능하다 하더라도

그리스도인의 Logo

정직하게 사는 것도 쉽지 않겠지만
그리스도인의 로고는
좀 더 손해 보는 것이어야 한다.

책임지며 사는 것도 쉽지 않겠지만
그리스도인의 로고는
좀 더 희생 하는 것이어야 한다.

이해하며 사는 것도 쉽지 않겠지만
그리스도인의 로고는
좀 더 용서 하는 것이어야 한다.

우리교회 자랑은

우리교회 자랑은
고상한 설교자 아니라
유력한 인물들 아니라
웅장한 건물이 아니라

정직을 행하는 사람들
윤리를 지키는 사람들
그리하여 변화를
만드는 사람들 입니다

어떤 해석

온 천하를 얻고도 그 영혼 잃으면
소용없다 말씀하셨지만
천하와 영혼 모두 얻을 수 있다고
오늘도 굳게 믿습니다.

부자의 천국은 낙타의 바늘 귀라며
어려움을 가르치셨지만
낙타에게도 방법은 있을 것이라며
여전히 찾고 있습니다.

재물과 당신을 함께 섬길 수 없다며
불가능을 선언하셨지만
그래도 우리들만은 할 수 있다고
다시금 굳게 믿습니다.

무익한 종

사람들이 보기엔
대단한 수고를 한 것 같으나

사람들의 생각엔
엄청난 큰 일 행한 것 같으나

당신 앞의 나는
무익한 종(從)일 따름입니다.

포도주

너희는

새 포도주가 되라

감격도 없이

변화도 없이

적응되지 말고

거짓을 벗고

관습을 벗고

힘껏 쏟아지는

낡은 가죽부대가

감당할 수 없는

새 포도주가 되라.

모리아산

하나님은 가라 하신다
먼 산 모리아로...

순간의 감성적 선택
한 마디 대답으론
믿음을 보여줄 수 없고

먼 길 걸어가는 동안
깊은 순종으로만
나타낼 수 있을 뿐이다

하나님은 준비 하신다
먼 산 모리아에...

제4부 다시, 광야에서

다시 시작해

모세가 바로를 피해 광야에 있을 때
사람들은 말했다 "이젠 끝났어"

요셉이 형들에 팔려 감옥에 있을 때
사람들은 말했다 "이젠 틀렸어"

다윗이 사울에 쫓겨 굴속에 있을 때
사람들은 말했다 "이젠 포기해"

계획한 대로 추진되지 않을 때
기대한 대로 해결되지 않을 때
하나님은 말씀한다 "아직 아니야"

일의 마지막, 인생의 결국은
하나님께 있으니 "다시 시작해"

가나안

약속의 땅
그러나 싸우지도 않고
그냥 들어 가지는 못했다

하나님이 약속하실 때
우리도 함께 싸워야 한다

축복의 땅
하지만 땀 흘리지 않고
그저 열매 맺지는 않았다

하나님이 축복하실 때
우리도 함께 일해야 한다

광야에서

많은 의심의 사람들이
고난으로 용기를 잃어 갔던 곳

많은 불신의 사람들이
역경으로 소망을 잃어 갔던 곳

그곳 광야, 이젠 내가 서 있다

그니스 사람 갈렙을
더욱 담대하게 단련시켰던 곳

도망 다니던 다윗의
믿음과 인내를 완성시켰던 곳

갈릴리 사람 예수가
시험을 이기고 데뷔하였던 곳

여기 광야, 내게도 그러하기를

고난의 예수

예언에서 논평까지
그는 고난의 사람이었다.

부유한 사람들은
그의 교훈을 싫어하였고
힘있는 사람들은
그의 훈계를 멀리하였다.

그를 향한 환호는
호산나 외치던 아이들과
외롭고 가난했던 사람들 뿐

그런데 사람들은
왜 그를 이용하여
부자가 되려고 할까요
권세를 얻으려 할까요

돌파하는 믿음

막막한 상황 앞에
포기 하지 않고
답답한 상황 앞에
주눅 들지 말고

현실을 통해
하나님을 보지 않고
하나님을 통해
현실을 바라볼 때

어떠한 상황도
돌파할 수 있습니다.

예배의 기초

예배는 하나님만
왕으로 높임 받는 것이다.

값싼 회개의 눈물로
마음 가벼워지거나

슬픈 찬양의 멜로디로
가슴 뭉클해지거나

강한 말씀의 카리스마로
은혜 체험했다거나

나의 경험이
강조되어지는 것 아니라

'나'에게서 '당신'으로
주어가 바뀌고

당신이 받으실 찬양
당신이 사하실 회개

당신께만 기쁨이 되고
당신으로 즐거워하는 것이다.

두 믿음

[1]
요셉이 형들을 찾아 출발합니다
형들이 요셉을 구덩이에 빠뜨립니다.
우연히 미디안 대상이 지나갑니다.
형들이 요셉을 대상에게 팝니다.
대상이 요셉을 이집트에 팔아 치웁니다.

[2]
하나님이 미디안 대상을 출발시킵니다.
요셉이 형들을 찾아 출발합니다.
형들이 요셉을 구덩이에 빠뜨립니다.
정확히 미디안 대상이 도착합니다.
대상이 형들로부터 요셉을 쌉니다.
하나님이 요셉을 이집트에 준비시킵니다.

회개의 좌표

네 금고가
뒤따르지 않는 회개는

그 진정성
의심해 보아야 한다

네 보물이
있는 곳에 마음 있나니

네 마음의
좌표를 주님께 보이라

차별

당신의 세속적인 눈에 비치는
가난한 사람들을 차별 하지 마십시오!

하늘나라에서 그들의 지위는
지극히 부유한 자들 일지도 모릅니다!

주님의 필요

[1]
주님은
당신의 지위가 아니라
당신의 부유함 아니라
고난과 역경으로
힘이 쏙 빠진 당신의
순종을 필요로 하신다.

[2]
우리는
높은 지위 오르게 되면
강한 권력 가지게 되면
그때 봉사하려고 하지만

주님은
아무 것도 아닌 것 같은
아무 것도 없는 것 같은
바로 지금 섬기라 하신다.

축복은

세상의 방법으로
풍요를 독식하는 것 아니라

예수의 방법으로
나눔을 확장하는 것 입니다.

스마트한 믿음

상식적으로 선택하고

합리적으로 추진하는

스마트한 사람들은

당신이 역사하실 기회를

철저히 봉쇄해 버린다.

그리스도인

[1]
첫날의 그리스도인
그들은 다수를 따르지 않았다.
그들은 세속을 따르지 않았다.
그러나 그들의 삶의 방식은
사람들의 마음을 열기 시작했다.

[2]
제국의 그리스도인
그들은 강력한 권력을 얻었다.
그들은 화려한 성당을 지었다.
그러나 그들의 분리된 삶은
사람들의 인정을 잃기 시작했다.

[3]

오늘의 그리스도인

그들은 상당한 명예를 얻었다.

그들은 부유한 세력이 되었다.

그러나 그들의 속물 인생은

사람들의 외면을 받기 시작했다.

재정렬

기도는
끊임없이 요구하는
청구서 목록이 아니라
지금 어디에 있는지
재정렬하는 것이다.

사랑하며 살겠다고
다짐하며 시작한 하루
오해를 받으면서도
여전히 사랑하고 있는지

정의롭게 이루리라
결심하고 시작한 일들
다급한 상황에서도
여전히 정의롭게 하는지

기도는

말씀과 세상

그 어디쯤에 있는지

순간순간 나를

재정렬하는 것이다.

당신의 마음

주님은
가난한 과부의
돈이 아니라 마음을
보기 원하셨다.

과부는
생활비 전부로
돈이 아니라 믿음을
보여주었다.

주님은
부유한 청년의
돈이 아니라 마음을
보기 원하셨다.

청년은
재물의 염려로
돈 뿐 아니라 믿음도
보여주지 못했다.

가끔은
가지지 못한 것이
더 많이 가진 것보다
좋을 때가 있다.

무언가
하나를 포기함으로
우리의 마음을
보여주어야 할 때

당신은
무엇을 포기함으로
당신의 마음을
표현할 수 있는가

성경에 있는 말

나를 사랑한다는 말
성경에 쓰여 있습니다.

스스로 깨우친
잘못된 확신도 아니고

사이비 학자의
허황된 주장도 아닙니다.

나를 사랑한다는 말
성경에 쓰여 있습니다.

말이 아니라 죽음으로
십자가에 새겨 있습니다.

속물 인생

거룩한 당신은
우리의 소유가 아니라
우리의 존재 자체를
받으시고 기뻐하시는데

속물인 우리는
당신의 존재가 아니라
당신이 주실 선물만
바라고 또 기대합니다.

당신의 시작

사람들이
안 된다고 소리질러
믿음이 흔들릴 때
당신의
능력은 시작 됩니다.

의사들이
안 된다고 선언하여
소망이 무너질 때
당신의
은혜는 시작 됩니다.

우리가 노력한 대로
이룬 것 같은
착각의 시간을 지나

믿음이 흔들리고
소망이 무너질 때
비로소 당신의
시간은 시작 됩니다.

존귀 (尊貴)

목표를
이룰 때 아니고

명성을
얻을 때 아니다

무엇을
할 때가 아니라

당신의
자녀가 될 때에

우리는
존귀케 됩니다

우리의 이름 부르신다

그날에 주님은
우리의 이름 부르신다

누구 사장의 아들이라든지
누구 의사의 엄마라든지
사회적 배경이 아니라

모든 사람에게 친절하기나
항상 정직하게 살기 등
프로필 문구가 아니라

우리가 살아온
그대로 이름 부르신다

천국 문지기

천국 문지기는
참 힘들 것 같아

얼굴도 다르고
피부도 다른데
각양각색의 사람들
어떻게 구별할까

아니야 아니야
참 쉬운 일이래

모습도 다르고
언어가 달라도
예수님 닮은 사람만
찾으면 되니까

듣는 성경

주일날 사랑방에 모여
성경을 듣는다

치열한 일상에서
매 순간 적용된 구절들

억울했던 순간에
참으며 기도한 김집사

안타까운 사연에
사랑을 나눠준 박집사

읽고 밑줄 친 말씀을
삶으로 살아낸 이야기

오늘도 사랑방에 모여
그 성경을 듣는다

외치는 소리

우리는 빛이 아닙니다
외치는 소리일 뿐
어둠을 몰아내고
빛으로 오시는
당신의 길을 평탄케 하는

우리는 진리 아닙니다
외치는 소리일 뿐
거짓을 물리치고
진리로 오시는
당신의 길을 곧게 만드는

우리는 왕이 아닙니다
외치는 소리일 뿐
세상을 심판하러
왕으로 오시는
당신의 재림을 예비하는

기적보다 당신

기적을 경험하고도
당신은 알지 못했던
광야의 사람들 아니라
기적이 필요한
막막한 상황에서도
기적보다
기적의 주인이신 당신을
먼저 알게 하소서

치유를 체험하고도
당신은 찾지 못했던
환자의 무리들 아니라
치유가 필요한
답답한 상황에서도
치유보다
치유의 능력이신 당신을
먼저 찾게 하소서

글을 닫으며

'고독'은 고립 또는 은둔을 떠올리게 하는 다소 부정적인 면이 있는 단어이기도 하다. 하지만 글을 쓰기 시작한 처음부터 '고독'이라는 단어가 좋았고, 진작에 미래에 필요할지도 모르는 책의 제목을 『고독의 주인』으로 확정했었다.

헨리 나우엔(Henri J. M. Nouwen)을 알게 된 것은 훨씬 후의 일이었지만, 그의 『고독의 영성』을 읽고 나서는 더욱 '고독'에 대한 확신이 생기게 되었다.

"우리는 고독 속에서 존재가 소유보다 훨씬 더 중요하고, 노력한 결과보다 우리 자신이 훨씬 더 가치 있는 존재라는 사실을 발견하게 된다. 고독 속에서, 우리는 우리 삶이 지켜야 할 소유물이 아니라, 나누어야 할 선물이라는 것을 발견한다. 또한 우리가 표현할 수 있는 사랑이 더 위대한 사랑의 일부라는 사실을 깨닫게 된다."

그렇다. 고독한 사람만이 존재론적인 삶을 살 수 있고, 『나와 너 (Ich und Du)』의 영원한 관계를 체험하는 특권을 누릴 수 있다.

<더 위대한 사랑의 전부>를 만나는 날까지, 나는 지구별에서의 이 고독한 여행을 계속할 것이다.

"영혼이 깃털처럼 가벼운 날…

나는 한 줄의 시(詩)가 된다."